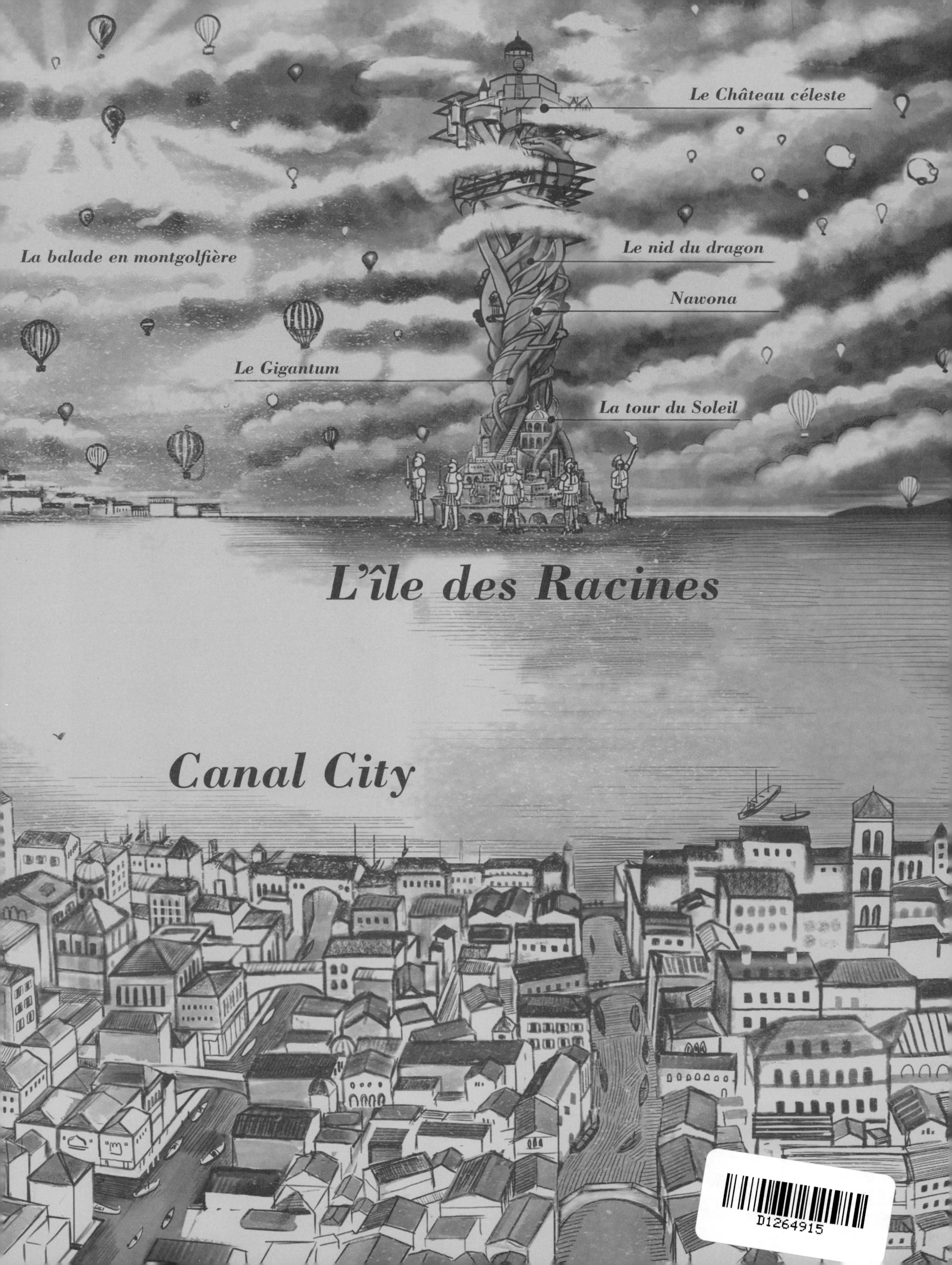
Le Château céleste
La balade en montgolfière
Le nid du dragon
Nawona
Le Gigantum
La tour du Soleil
L'île des Racines
Canal City
D1264915

Le CHÂTEAU Labyrinthe

Serez-vous à la hauteur ?

Traduit de l'anglais
par Emmanuelle Pingault

Hiro Kamigaki
& IC4DESIGN

milan

Comment jouer

1 D'abord, trouve le point de **DÉPART**.
Puis, parcours le labyrinthe pour atteindre l'**ARRIVÉE**.

2 Au cours du circuit, relève les **DÉFIS** et résous les énigmes de ton courrier.

3 Dans chaque labyrinthe, **CHERCHE** des étoiles dorées, des trophées rouges, des coffres au trésor verts, rouges ou bleus, et autres **OBJETS CACHÉS**.

4 Si tu es dans une **IMPASSE**, trouve une autre voie. Tu peux croiser ou doubler une personne ou un animal, à condition que le passage soit assez large. S'il existe plusieurs trajets, tâche de trouver le **PLUS COURT**.

Tu as le droit de monter et descendre les échelles et les escaliers s'ils ne sont pas bloqués. Les tapis ou les objets plats qui couvrent le sol ne sont pas des obstacles.

Sommaire

Pierre
Le détective
des labyrinthes

Carmen
Son amie

Les combattants
masqués

Un membre du Clan
des labyrinthiseurs

IMAGINE LA SCÈNE...

Bienvenue à Canal City, au bord de la mer. Sur une petite île au large, un arbre géant a poussé : le Gigantum. Cet arbre monte si haut qu'il se perd au-delà des nuages. À sa cime, un fabuleux château abrite un trésor unique au monde… l'Œuf magique !

Cet œuf n'est montré au public que tous les cinquante ans, lors d'une grande célébration. L'événement approche ! Pour fêter ça, les habitants de Canal City se déguisent et dansent.

Pierre et Carmen, nos amis les détectives, sont venus participer à ces réjouissances. Mais Pierre sent qu'une menace plane au-dessus de l'Œuf magique. En général, son instinct ne le trompe pas…

Si ce trésor tombe entre des mains malveillantes, la ville tout entière se transformera en un immense labyrinthe où le désordre régnera. Nos deux amis sauront-ils trouver une issue pour éviter le pire ? Suis-les dans cette nouvelle aventure !

Le hall de l'hôtel

Pierre et Carmen arrivent à Canal City. L'hôtel est plein à craquer. Carmen a hâte d'aller s'amuser, mais Pierre vient de recevoir un message étrange signé « les combattants masqués ». À présent, il examine l'immeuble d'en face. Son intuition était juste : l'Œuf magique est en danger… et les combattants masqués veulent peut-être s'en emparer. Pour sauver l'Œuf, il faut attraper ces deux individus suspects !

BE HAPPY
IDEAS
19
2X
HIRO
KAMI
GAKI
GOAL
Lettre mystérieuse des combattants masqués (n° 1)
À Pierre, le grand détective.
Puisque les labyrinthes sont ta spécialité, nous t'offrons
une occasion de le prouver : l'Œuf magique est en danger !
Pour commencer, nous avons aménagé trois petits labyrinthes
dans le hall de l'hôtel. Leur entrée est signalée par un soleil,
et leur sortie par une étoile rose. Quand tu les auras trouvés et
traversés, suis-nous dans le quatrième labyrinthe, sur la façade.
As-tu repéré notre fanion ?
Les combattants masqués
Le Journal du canal
1re éd.
Le carnaval du canal : c'est parti !
Pour fêter le début du grand carnaval,
des fanions ont été installés sur les toits.
Sur quelle maison se trouve celui
qui est reproduit ici ?
Objets cachés
1 ÉTOILE DORÉE
1 TROPHÉE ROUGE
1 COFFRE ROUGE
COMITÉ D'ORGANISATION
DU CARNAVAL
NOS CONSEILS AUX VISITEURS
Pour une promenade à prix réduit,
il suffit de présenter cinq
bons de réduction
au gondolier. Mais,
avant tout, il faut les trouver…

Le quartier des canaux

Les canaux sont noirs de monde. Pierre interroge un gondolier : « Avez-vous vu deux hommes suspects et masqués ? – Oui, répond le gondolier, ils s'enfuyaient vers la place de la Lune. Voulez-vous qu'on les suive ? » Vite ! Monte à bord et faufile-toi entre les bâtiments avant que les combattants masqués ne disparaissent.

FLORIST
Cafe EGGCELLENT
ADVENTURE
LETTER CRAFT
Friday's
LOOK CLOSER
UNIQUE SHOP
ATLANTIC
BROWN'S PATISSE
FRESH RESTAURANT
CIDER HOUSE
EMPIRE HOTEL
THIS WAY
LET'S FIND!
CELEBRATE
35
WHATEVER FLOATS YOUR BOAT
HOTEL MACARON
GELATO
GRAND PLAZA
THE MAZE EGG 1000TH ANNIVERSARY CELEB
THREE GOOD TIMES TO ENJOY LIFE MORE
EYES EXAMINED
CITY OF WATER WAY
HOTEL CWW
WATCH MAKER JEWELER
NEW MAZE TIM
Objets cachés
3 ÉTOILES DORÉES
3 TROPHÉES ROUGES
3 COFFRES ROUGES
COMITÉ D'ORGANISATION DU CARNAVAL
INFORMATION
Cinq yeux étranges ont été tagués sur certains immeubles de notre ville. Il faut les signaler aux autorités !
Confidence d'un gondolier
« Des gens dangereux traînent dans la ville. J'ai croisé quatre individus masqués. Et des ninjas se cachent ici et là. L'un d'eux est habillé en rouge ! À mon avis, ils mijotent quelque chose… »
Attention !
Appel aux accessoiristes du carnaval !
Les ballons qui flottent un peu partout ont été préparés par nos quatre collaborateurs. Ils portent des habits rayés. Mais où sont-ils passés ?

Le carnaval, place de la Lune

Sur la place de la Lune, la fête bat son plein. Hélas, Pierre et Carmen n'ont pas une minute à perdre, car les combattants masqués ne sont pas loin.

Regarde ! Ils montent l'escalier vers la place, où le bal masqué débutera bientôt. Si tu ne fends pas la foule immédiatement, ils vont te semer.

The LOST WORLD
LONG LOST JURASSIC MARVEL
Cotton Candy
Lettre mystérieuse
des combattants masqués (n° 2)
Tu tentes de nous rattraper,
mais le jeu ne fait que commencer !
Nous avons posé cinq statues
masquées dans la foule.
Sauras-tu les repérer ?
COMITÉ D'ORGANISATION
DU CARNAVAL
AVIS DE RECHERCHE
ENFANT PERDU
• Chemise rayée rouge et blanche
• Chapeau pointu jaune
• Short jaune
• Il tient un fanion jaune.
Objets cachés
3 ÉTOILES DORÉES
3 TROPHÉES ROUGES
3 COFFRES ROUGES
Achetez un masque !
Pour participer au bal, il faut mettre
un masque. Sur son stand, Jimmy
en propose une large gamme.
Il ne reste qu'à le trouver !
Il porte des lunettes.

Au bal masqué

Impossible de participer au bal sans masque ! Pierre et Carmen, qui ont obéi à la règle, s'approchent de la piste de danse. « Oh… c'est merveilleux ! Une petite valse ? propose Carmen. – D'accord, répond Pierre. Mais nous devons adopter un bon rythme pour nous rapprocher des combattants masqués. » Le duo danse donc vers l'autre bout de la place, en direction du grand vestiaire.

GORA
Masquerade Ba
Appel des protecteurs du Gigantum
Après avoir fait la fête, nous devons retourner chez nous, sur l'île des Racines. Toutefois, l'un d'entre nous est introuvable. Quelqu'un l'a-t-il remarqué ?
Requête de la duchesse en robe rose
Mon masque est tombé ! Seul un grand détective réussira à mettre la main dessus. Il est si joli !
Objets cachés
3 ÉTOILES DORÉES
3 TROPHÉES ROUGES
3 COFFRES ROUGES
1 CRÂNE DORÉ
Le Journal du canal
2e éd.
Des invités prestigieux au bal masqué
Lord Candy, propriétaire de la Tour-Labyrinthe, est venu au bal avec son chien Dédalos. Notre scoop : Dédalos s'est échappé ! Retrouve le maître et son chien.

Le grand vestiaire

Dans cette spacieuse garde-robe, la foule s'affaire en attendant le dévoilement de l'Œuf magique. Quel luxe ! Toutefois, le majordome est fâché : les combattants masqués, en traversant la salle, ont laissé des traces de pas. Il ne faut pas qu'ils se sauvent ! Piste-les et monte l'escalier avant qu'ils ne sautent par la fenêtre.

COAL
THIS WAY
Lettre mystérieuse
des combattants masqués (n° 3)
Tu ne nous lâches pas d'une semelle !
Nous te lançons un nouveau défi : nous avons
dispersé six médailles en forme de soleil.
Seul un vrai détective saura les rassembler...
CAPRICE
D'UN ENFANT GÂTÉ
Je veux un nounours !
Non, plusieurs !
Donne-moi
six nounours, na !
La dispute
Deux femmes se disputent
une robe orange alors
qu'il en existe une autre, rangée
quelque part dans la salle.
Il faut la trouver pour mettre fin
à leur querelle.
Objets cachés
3 ÉTOILES DORÉES
3 TROPHÉES ROUGES
3 COFFRES ROUGES
1 DEMI-LUNE
1 NOUNOURS EN CHEMISE BLEUE

Parade nautique

Ça y est, la parade a commencé : les gondoles défilent sur les canaux ! Mais quelque chose cloche. Si tu as un œil de lynx, tu verras d'étranges affiches et plusieurs hommes en longue robe noire à capuche. La rumeur dit que le Clan des labyrinthiseurs veut voler l'Œuf magique ! Pierre avait raison de se méfier : le danger rôde, et les combattants masqués pourraient être impliqués. Vite, monte les marches avant que leur gondole ne s'éclipse !

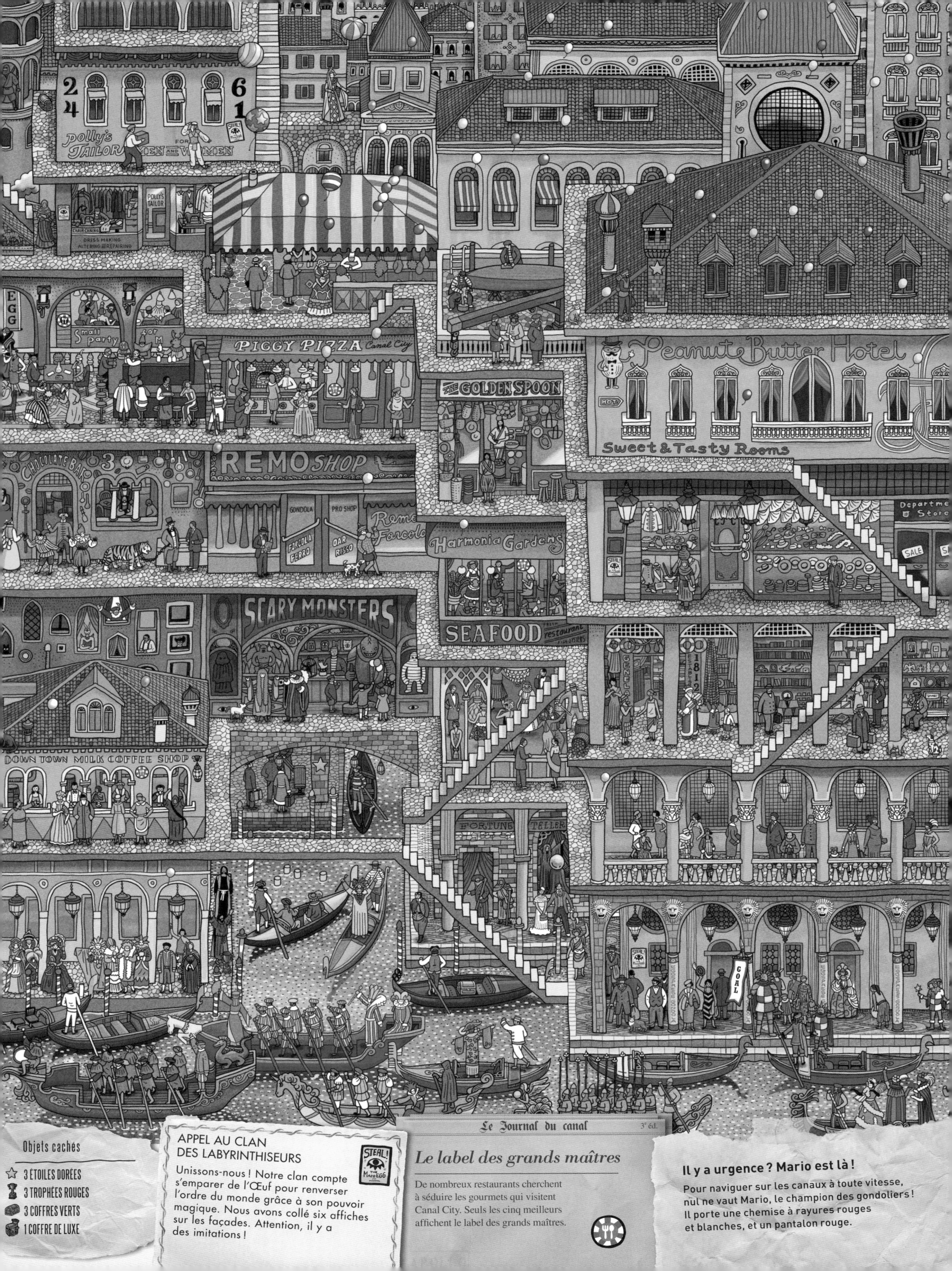
POLLY'S TAILOR FOR MEN AND WOMEN
DRESS MAKING ALTERING AND REPAIRING
PIGGY PIZZA Canal City
THE GOLDEN SPOON
Peanut Butter Hotel
Sweet & Tasty Rooms
CHOCOLATE BAR
REMO SHOP
Harmonia Gardens
SCARY MONSTERS
SEAFOOD
DOWN TOWN MILK COFFEE SHOP
FORTUNE TELLER
GOAL
Objets cachés
3 ÉTOILES DORÉES
3 TROPHÉES ROUGES
3 COFFRES VERTS
1 COFFRE DE LUXE
APPEL AU CLAN
DES LABYRINTHISEURS
Unissons-nous ! Notre clan compte s'emparer de l'Œuf pour renverser l'ordre du monde grâce à son pouvoir magique. Nous avons collé six affiches sur les façades. Attention, il y a des imitations !
Le Journal du canal
3e éd.
Le label des grands maîtres
De nombreux restaurants cherchent à séduire les gourmets qui visitent Canal City. Seuls les cinq meilleurs affichent le label des grands maîtres.
Il y a urgence ? Mario est là !
Pour naviguer sur les canaux à toute vitesse, nul ne vaut Mario, le champion des gondoliers ! Il porte une chemise à rayures rouges et blanches, et un pantalon rouge.

Course-poursuite en gondole

Les combattants masqués traversent les canaux à toute allure. Saute dans la gondole de Mario pour les rattraper ! « Il paraît que deux redoutables combattants masqués ont l'intention de voler l'Œuf magique, dit Mario. C'est vrai ? Ils appartiennent peut-être au même gang que les hommes à capuche noire qui traînent par ici. » Pas le temps de réfléchir ! Fonce vers le pont sans quitter des yeux ces deux personnages !

Lettre mystérieuse des combattants masqués (n° 4)

Tu cours toujours ? Bon, on va voir de quoi tu es capable. Nous avons caché huit œufs à pois le long du canal. Pour montrer ton talent, trouve-les !

Le trompettiste

Notre groupe de cinq trompettistes anime la parade nautique.
L'un d'entre nous manque à l'appel.
Il doit nous rejoindre, c'est urgent !

Objets cachés

- 3 ÉTOILES DORÉES
- 3 TROPHÉES ROUGES
- 3 COFFRES VERTS
- 1 CHAPEAU JAUNE

Rendez-vous galant

J'attends ma chérie depuis des heures.
J'ai du mal à la reconnaître,
car nous nous sommes rencontrés
au bal masqué. Elle porte un chapeau
jaune et une robe à rayures,
et elle tient un éventail.

Le circuit du mont des Moteurs

Vroum vroum ! Tu vas assister au grand prix automobile. Regarde près de la ligne d'arrivée : les combattants masqués sont déjà en fuite dans un ballon dirigeable. Le seul moyen de traverser le circuit, c'est de participer à la course.

Justement, un homme s'approche de Pierre. « J'ai mal au ventre, explique-t-il. Je dois abandonner la compétition. Veux-tu me remplacer ? » Vite, saute dans sa voiture et tâche de rester sur la bonne voie : il n'y a pas de temps à perdre !

MOTOR MOUNTAIN
RELAX
Don't Stop Believing
FINISH?
THE MILK BAR
Balloon Festival
CREAM FILLED PASTRY
Cream Pie Racing
CRISPY BLACK STAR
PIGGY PIZZA
GOAL
Fuels Good
Objets cachés
3 ÉTOILES DORÉES
3 TROPHÉES ROUGES
3 COFFRES VERTS
3 OISEAUX BLEUS
AVERTISSEMENT DE LA POLICE
On nous signale que quatre auto-stoppeurs brandissent leurs cartons de destination au bord de la route. Il est très dangereux de s'approcher du circuit de compétition. Ces individus doivent être arrêtés.
Le Journal du canal
4e éd.
Le grand prix approche !
Les favoris portent les numéros 3, 8 et 39.
Autres véhicules à surveiller : le 54 et le 87.
Il faut les repérer pour suivre la compétition !
COMITÉ D'ORGANISATION DU CARNAVAL
Nos dirigeables desservent l'île des Racines, où la fête de l'Œuf magique débutera bientôt! Chaque place coûte cinq pièces en forme de cœur.
COIN
COIN

Balade en montgolfière

Au-dessus du mont des Moteurs, le ciel est chargé de nombreux ballons qui s'approchent de l'île des Racines pour admirer enfin l'Œuf magique. Les combattants masqués s'apprêtent à se poser au pied de l'arbre géant. Vite, essaie de les rejoindre en fendant les airs… sans percuter les autres montgolfières !

buzz Crow
ARE YOU LOST?
GRANDTREE TOWN
GOAL
Lettre mystérieuse des combattants masqués (n° 5)
Tu nous as suivis jusqu'ici. À présent, le défi change de niveau ! Nous avons caché cinq bébés dragons dans des ballons. Découvre-les avant qu'ils ne fassent tomber tout le monde en crachant du feu !
MESSAGE DE L'ASSOCIATION DES BALLONS DIRIGEABLES
Cette année, pour la première fois, nous accueillons des ballons en forme de fruits : banane, melon, pomme et ananas. Qui saura les repérer dans le ciel ?
Observons les oiseaux
Beaucoup d'oiseaux rares nichent sur l'île des Racines. Pour apercevoir tous ceux qui sont dessinés ici, il faut ouvrir l'œil !
Objets cachés
3 ÉTOILES DORÉES
3 TROPHÉES ROUGES
3 COFFRES BLEUS
1 CHAPEAU ROUGE

L'île des Racines

Descends du ballon : tu es sur l'île des Racines, au pied du Gigantum. Les restaurants et les hôtels sont pleins à craquer, mais l'inquiétude plombe un peu l'atmosphère. En effet, on raconte que l'Œuf magique n'est plus en sécurité sur son socle. Si c'est vrai, ses pouvoirs redoutables vont se libérer et Canal City ne sera plus qu'un immense dédale. Pire encore, le Clan des labyrinthiseurs en profitera pour régner sur la planète. Ça alors ! Les combattants masqués nous attendent devant la tour du Soleil. Vite, rejoins-les pour en savoir plus !

GRAND TREE ROAD
LUMBER BOOTS
GOAL
GRAND TREE ROAD ENTRANCE
MAIN ENTRANCE
ISLAND RESORT & SPA
ROOT VILLA
Find it Lovers
Take me to the top
HOTEL BITTER SWEET
2461
DENTIST
ISLAND SPA
PIGGY PIZZA
Great Dragon for Sale
FREE DELIVERY
CHOCOLATE & MILK CAFE
OPEN DAY
CARDS SIGNS
ISLAND ICE CREAM
WALL SIGNS
MOTHER'S BREAD 100% PURE
ISLAND SPA
Post Cards
SOUVENIRS OF ROOT ISLAND
Gifts Guides Maps
Ask Honest Jack
HONEST JACK PAWN SHOP
ROOMS
THIS WAY
PIGGY PIZZA
MUSCLE HOUSE
POWER
BRAWNY
PUMPED!
HOTEL BIG ROOT
SODA WATER
ICE CREAM
SHIELDS
MURPHY'S
TOOLS
SWORDS
SPEARS
EGGS OF DINOSAUR
Objets cachés
3 ÉTOILES DORÉES
3 TROPHÉES ROUGES
3 COFFRES ROUGES
1 TIGRE ROSE
3 TONNEAUX BLEUS
Le vaillant guerrier
J'ai ouï dire que le combat contre le Clan des labyrinthiseurs approchait. Je dois donc faire aiguiser mon épée sans tarder. Sais-tu où se trouve l'armurerie ?
Le Journal du canal
5e éd.
Les spécialités locales
Nos visiteurs doivent absolument goûter la spécialité de l'île : le lait de poule. Cinq commerçants en proposent dans la ville. Pour les trouver, il suffit de repérer leurs enseignes jaunes.
MILK
DÉCOUVERTE TOURISTIQUE DE L'ÎLE DES RACINES
La tour du Soleil n'ouvrira que demain matin. Les voyageurs doivent donc passer une nuit à l'hôtel. Nous conseillons celui qui se trouve derrière deux arbres, avec une lune rouge au-dessus de la porte.

Au sommet de la tour du Soleil

Voilà enfin la tour du Soleil ! Les combattants masqués nous y attendent. « Nous devons vous avouer la vérité : nous sommes les gardiens de l'Œuf magique. Aidez-nous ! En essayant de voler l'Œuf, le Clan des labyrinthiseurs l'a fait tomber sur ce balcon. Nous devons le remettre à sa place, au Château céleste, mais le trajet est si compliqué que seul un vrai détective est capable d'y arriver. » Trouve ton chemin pour traverser le balcon, et prépare-toi pour la grande escalade !

Can you spot the difference?
GOAL
Lettre mystérieuse des combattants masqués (n° 6)
Tu as presque réussi notre épreuve, mais ce n'est pas fini ! Nous avons caché sept objets sur le balcon. Trouve-les, et tu seras le numéro un mondial des détectives !
Appel à l'aide du lion guerrier
J'ai un peu honte, mais, quand l'Œuf magique est tombé, j'ai sursauté et lâché mon épée. Peux-tu m'aider à remettre la patte dessus ?
Message d'une gourmande
Cette sucette est délicieuse ! Il paraît qu'il en reste cinq sur le balcon. Tu veux bien me dire où elles sont ? Promis, je t'en donnerai une !
Objets cachés
3 ÉTOILES DORÉES
3 TROPHÉES ROUGES
3 COFFRES VERTS
1 CADENAS

Escaladons le Gigantum

Ouf ! L'Œuf magique est en sécurité sur le dos d'un combattant masqué ! Il ne reste qu'à escalader le Gigantum pour le remettre sur son socle avant la cérémonie. Pour aller plus vite, un raccourci passe à travers le tronc. Regarde en haut à droite pour trouver ton point d'arrivée. « Pfff, c'est lourd ! soupire le combattant. Dépêchons-nous ! »

Objets cachés

- 3 ÉTOILES DORÉES
- 3 TROPHÉES ROUGES
- 3 COFFRES VERTS
- 2 COFFRES BLEUS

OÙ ACHETER MES OUTILS ?

J'habite dans le Gigantum et j'ai besoin d'outils. Deux marteaux sont dessinés sur l'enseigne du magasin de bricolage. Peux-tu me guider jusque-là ?

Le Journal du canal — 6ᵉ éd.

Un somptueux banquet !

Un festin inoubliable se prépare pour la cérémonie de l'Œuf magique ! Cinq pièces montées sont déjà sorties du four. Où sont-elles ?

Des visiteurs ont besoin d'aide

Nous voulons faire un cadeau au roi de Nawona. Il paraît que le homard est son plat préféré. Il y en a cinq dans la ville, cela devrait suffire...

Nawona

Bienvenue à Nawona, un royaume installé au cœur du Gigantum. Ici aussi tout le monde s'active, mais l'Œuf magique n'a toujours pas été remis en place, et la population est tendue. Même les créatures sauvages du Gigantum sont sur les nerfs : pendant ton escalade, tu risques de croiser des lézards en colère… Si tu tiens le coup, tu atteindras le Château céleste ! Monte l'escalier, puis dirige-toi toujours vers la droite.

GOAL
HOTEL
KINGDOM OF THE GRANDTREE
NAWONA
THIS WAY
Objets cachés
3 ÉTOILES DORÉES
3 COFFRES VERTS
3 TROPHÉES ROUGES
1 CHAPEAU ROUGE
DÉFI DU FABRICANT DE LAMPIONS
J'ai installé des lampions un peu partout à Nawona. Nos visiteurs attentifs trouveront mes sept chefs-d'œuvre.
Conseil des habitants de Nawona
Notre roi se promène parmi nous. Il est reconnaissable à sa longue barbe et à sa robe de cérémonie à rayures. Il est assis et tient un bâton à la main. N'oublie pas de lui faire une révérence !
Appel du roi de Nawona
Nos créatures surexcitées deviennent dangereuses. Je les calmerai en leur donnant un fruit magique. J'ordonne qu'on m'en apporte cinq sur-le-champ !

Le nid du dragon

Nous arrivons au sommet du Gigantum, au-delà des nuages. Hélas, pas le temps d'admirer le paysage : nous sommes dans le nid d'un dragon ! Chut… Cherche ton chemin sans faire de bruit, et n'oublie pas de traquer les labyrinthiseurs, qui tentent toujours de voler l'Œuf magique. Le Château céleste n'est plus très loin, alors grimpe sans faiblir !

Objets cachés

- ☆ 3 ÉTOILES DORÉES
- 3 TROPHÉES ROUGES
- 3 COFFRES VERTS
- 1 SINGE

UN CHEF INQUIET

Les garçons bouchers ne m'ont toujours pas livré ma commande. Quelqu'un pourrait-il les guider?

Une farce qui pourrait mal tourner !

Quelques enfants inconscients colorient les écailles du dragon à trois endroits. C'est extrêmement dangereux, il faut les en empêcher !

Calmons le dragon !
Tant que l'Œuf magique ne sera pas rangé sur son socle, le dragon restera nerveux. Seuls les ballons étoilés qui flottent dans les airs pourront l'apaiser. Mais il lui en faut au moins dix !

Le Château céleste

Tu es arrivé(e) au sommet du Gigantum, là où se trouve le Château céleste ! Surtout, ne regarde pas vers le bas ! Ton aventure n'est pas finie : tu dois traverser encore un labyrinthe pour vaincre le Clan des labyrinthiseurs et remettre l'Œuf magique à sa place. Des guerriers, venus de Canal City et de l'île des Racines, t'aideront à combattre le Clan, qui attaque avec son grand dirigeable et des monstres dressés. Allons, encore un effort ! Après, promis, ce sera la fête.

GOAL
Objets cachés
3 ÉTOILES DORÉES
3 TROPHÉES ROUGES
3 COFFRES VERTS
1 SCORPION DORÉ
Demande des gardiens de l'Œuf magique
Pour nous procurer des armes, nous cherchons cinq dépôts, signalés par un logo d'épées croisées. De plus, nous devons trouver les clés !
RASSEMBLONS LES INGRÉDIENTS
La cuisinière du château prépare ses spécialités pour la fête de l'Œuf magique, mais il lui manque des ingrédients. Où sont-ils ?
Il faut vaincre le Clan !
Les membres du Clan des labyrinthiseurs veulent s'emparer de l'Œuf magique. Ils rôdent un peu partout. Nos forces doivent débusquer leurs cinq commandants, qui portent une cagoule rouge.

ÉPILOGUE

Le Journal du canal

Pour la première fois en cinquante ans, l'Œuf magique, trésor de Canal City, est exposé au public.

Rayonnant, il repose sur son socle au Château céleste. Ce bel œuf, classé parmi les sept grands trésors des labyrinthes, est réputé dans le monde entier.

Avant la cérémonie, Canal City et le Gigantum s'étaient transformés en véritables labyrinthes ! Malgré les craintes de vol, cette œuvre précieuse a pu être montrée aux visiteurs. Des témoins rapportent que Pierre, le célèbre détective, a empêché le pire. Après la cérémonie de l'Œuf, la soirée des habitants s'est poursuivie dans l'allégresse avec un somptueux carnaval.

LES BRÈVES DU JOURNAL DU CANAL

Élection de la reine du carnaval

Aujourd'hui, la foule s'est pressée sur la place de la Lune pour assister au couronnement de la reine du carnaval. Les concurrentes ont passé des épreuves de danse, de style et d'élégance. « Je suis fière d'avoir été choisie grâce à ma belle robe bleue », a déclaré la gagnante.

Pierre te met au défi !

Partout où il est passé, Pierre a laissé… une pierre ! Montre-lui ton talent en trouvant toutes ces dalles marquées d'un *P*.

À la recherche du trèfle à quatre feuilles

Un trèfle à quatre feuilles est caché dans la tour du Soleil. Celui ou celle qui trouvera ce porte-bonheur aura la belle vie !

Un guerrier ninja participe au combat

Dans la ville et sur l'île, plusieurs personnes ont vu un guerrier ninja en rouge combattre d'autres ninjas vêtus de noir, alliés au Clan des labyrinthiseurs. Le ninja rouge les a repoussés héroïquement lors du combat final au Château céleste. Merci, ami ninja !

Visiteur… et sauveur !

Un ours blanc a participé à la lutte contre le Clan des labyrinthiseurs. « Mes flâneries m'ont poussé jusqu'au Château céleste au moment de l'attaque. Le hasard fait bien les choses. »

L'échec du Clan des labyrinthiseurs

Le Clan des labyrinthiseurs a été vaincu, mais il semble que ses membres s'étaient infiltrés dans la ville et sur l'île depuis un certain temps. Nos lecteurs les avaient-ils remarqués ?

Le casse-tête du carré magique

Un carré magique se trouve au sommet du nid du dragon. Si on en retire un seul bâton, on obtient un carré à l'intérieur d'un autre carré.

QUIZ CITY

Q1. Dans le hall de l'hôtel, plusieurs animaux se promènent : un tigre, un chien et… ?

Q2. Dans le quartier des canaux, à gauche du *Maze Challenge Hotel*, on voit une maison avec quatre costumes dans quatre fenêtres. Laquelle de ces fenêtres est différente ?

Q3. Place de la Lune, quelle lettre est écrite sur le sac de l'homme pressé à l'écharpe rouge ?

Q4. Quel instrument de musique est posé près des danseuses de ballet, dans la garde-robe géante ?

Q5. Quel oiseau s'est perché sur la main de la dame en vert, dans la garde-robe géante ?

Q6. Près de la parade nautique, une petite fille attache une cloche à un sapin de Noël. Comment est-elle habillée ?

Q7. Combien de moutons voit-on sur le mont des Moteurs ? (Indice : n'oublie pas les deux qui se sont perdus.)

Q8. Deux statues en or décorent la tour du Soleil. Qu'est-ce qui les différencie ?

Q9. Dans la tour du Soleil, quel oiseau tient une lettre d'amour dans son bec ?

Q10. Pendant l'escalade du Gigantum, quels numéros lit-on sur les casques des deux géants ?

Q11. Combien y a-t-il de chauves-souris géantes à Nawona ?

Réponses : 1. Un chat. 2. Celle d'en bas à droite. 3. Un X. 4. Un tambour. 5. Une chouette. 6. En robe rose. 7. Dix. 8. Le nombre de pointes sur leurs casques. 9. Un perroquet. 10. 1 et 2. 11. Quatre.

LES TRAJETS DANS LES LABYRINTHES ENFIN RÉVÉLÉS !

Nos lecteurs ont-ils rattrapé l'ennemi ?

« J'ai inventé mon propre chemin », « J'ai creusé des tunnels » : certains participants nous ont confié leurs méthodes bien particulières et, disons-le, interdites. Si les labyrinthes t'ont semblé faciles, inscris-toi à une école de formation pour devenir détective professionnel(le). Pierre en a fait son métier, et, grâce à cela, il a su choisir chaque fois la voie la plus simple et la plus rapide. Nous indiquons ici les chemins empruntés par Pierre et les cachettes des objets à trouver. Conclusion : tous les chemins mènent au labyrinthe, mais un seul permet d'en sortir.

— Labyrinthe
✕ O Défis supplémentaires
O Objets cachés
O Quiz City, reine du carnaval, défi signé Pierre, trèfle à quatre feuilles, jeu des bâtonnets

Le hall de l'hôtel

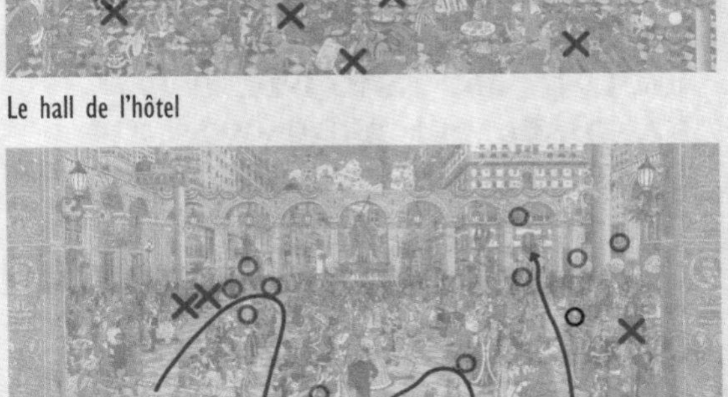

Au bal masqué

Course-poursuite en gondole

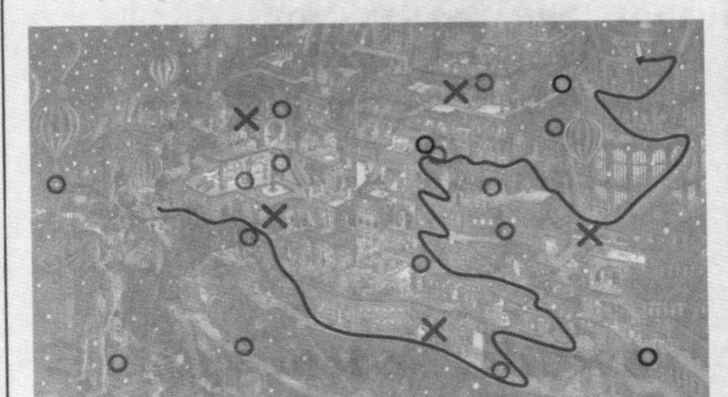

L'île des Racines

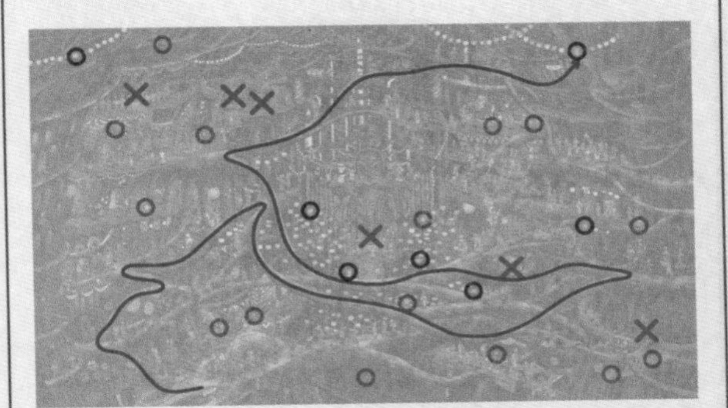

Nawona

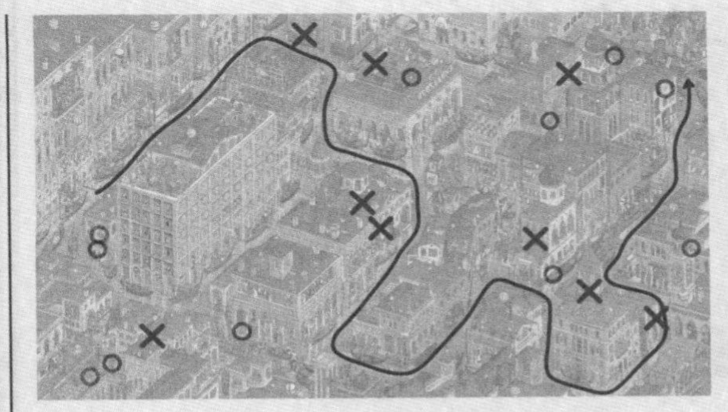

Le quartier des canaux

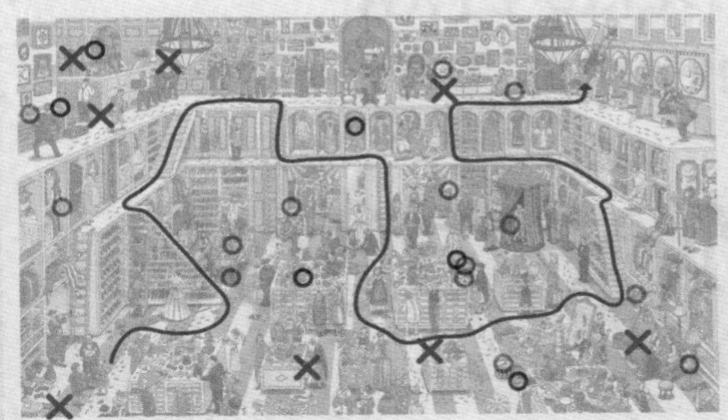

Le grand vestiaire

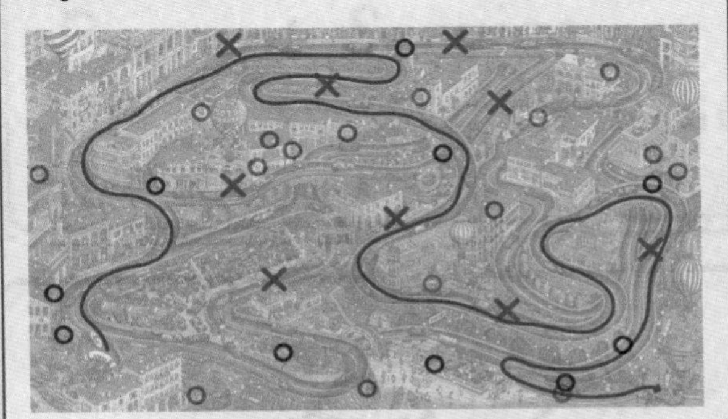

Le circuit du mont des Moteurs

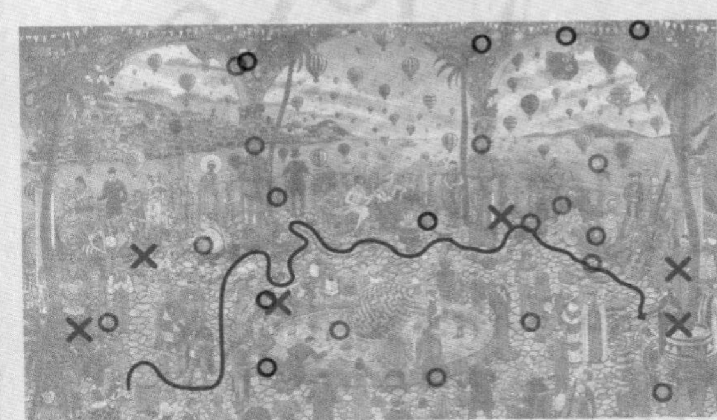

Au sommet de la tour du Soleil

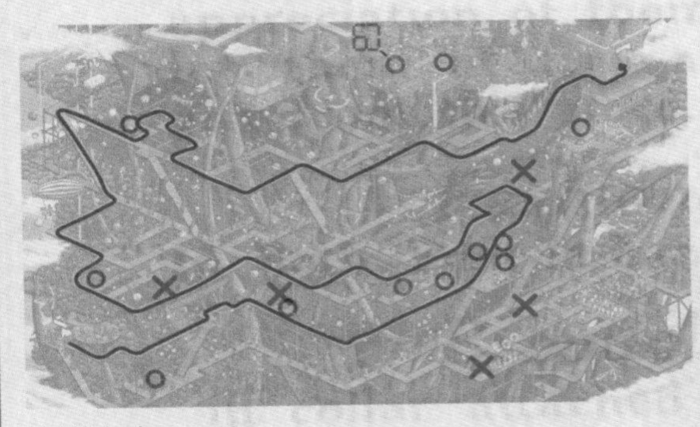

Le nid du dragon

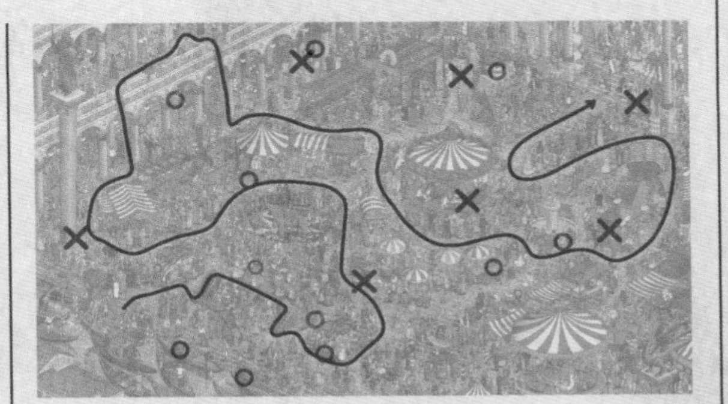

Le carnaval, place de la Lune

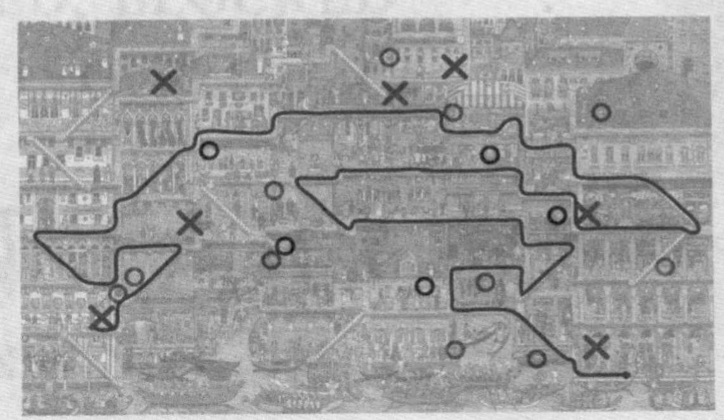

Parade nautique

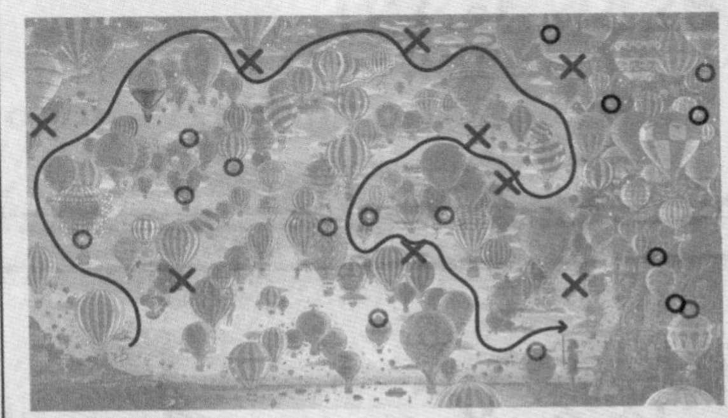

Balade en montgolfière

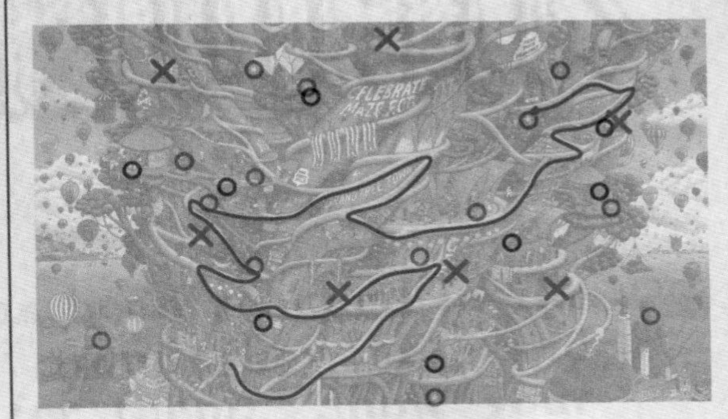

Escaladons le Gigantum

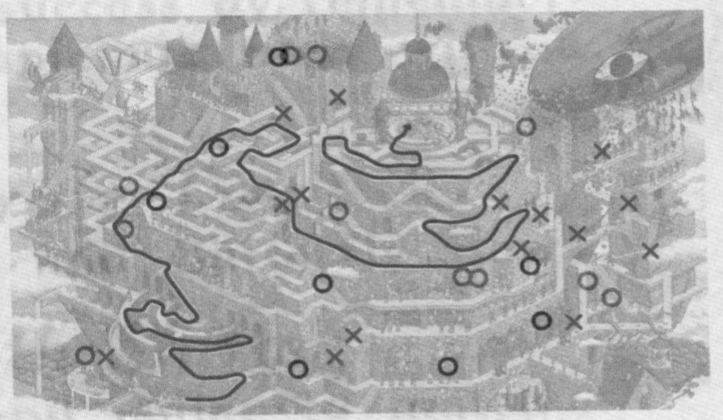

Le Château céleste

Le CHÂTEAU Labyrinthe

IC4DESIGN

Daisuke Matsubara
Yoko Sugi
Arisa Imamura
Liang Xiaoming
Keiko Kamigaki
Masami Tatsugawa

Remerciements

Emma Sakamiya
Agnes Kato
Peechie Cresencia
Polly Fossey
Claire Murphy
Naomi Leeman
Laurence King
Leah Willey
Sophie Schrey
Donald Dinwiddie
Alexandre Coco
Shan Selva
Alex Coumbis
Elizabeth Jenner

1, rond-point du Général-Eisenhower,
31101 Toulouse Cedex 9, France.

Dépôt légal : octobre 2020
ISBN : 978-2-408-02046-0
Achevé d'imprimer au 1er trimestre 2022 en Chine.
editionsmilan.com

Tu vides tes étagères et connais déjà ce livre par cœur ? Donne-le !

Le ventilateur à ballons
Le mont des Moteurs
La course-poursuite en gondole
La parade nautique
Le grand vestiaire
Le bal masqué
La place de la Lune
Le Maze Challenge Hotel